UN'AVVENTURA DI ASTERIX

ASTERIX ALLE OLIMPIADI

testo di **GOSCINNY**
disegni di **UDERZO**
traduzione di **LUCIANA MARCONCINI**

ARNOLDO MONDADORI EDITORE

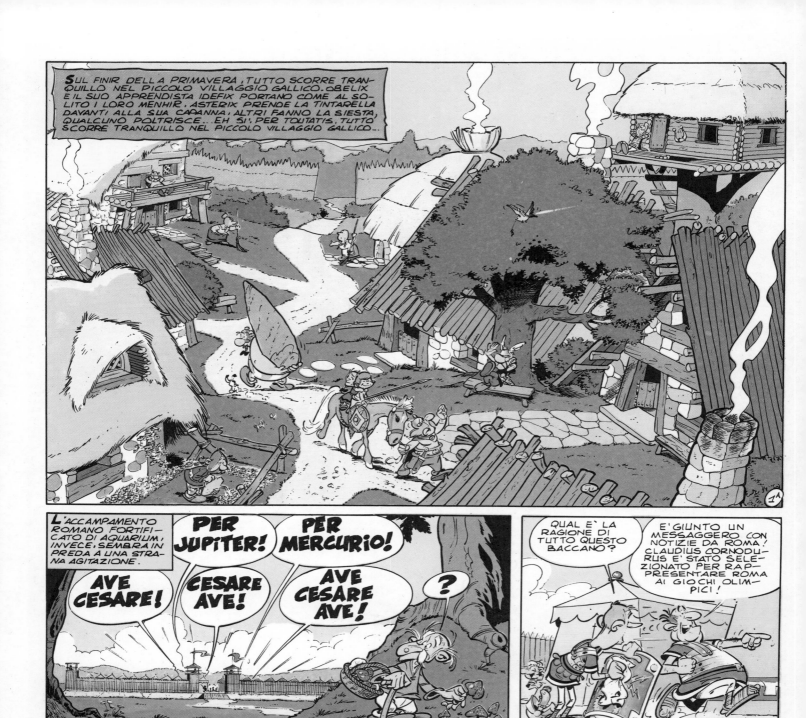

Titolo dell'opera originale *Astérix aux jeux olimpiques*. Prima edizione "Albi di Asterix" giugno 1972
Terza ristampa aprile 1990. Stampato presso le Artes Graficas Toledo S.A., Toledo (Spagna) - ISBN 88-04-30250-X
ISBN 88-04-30250-X
D.L.TO:542-1990

STAVO RACCOGLIENDO FUNGHI NEI DINTORNI DI AQUARIUM-LA' SON TANTO BUONI-QUANDO HO SENTITO URLA DI GIOIA...I ROMANI SEMBRAVANO PROPRIO DI BUONUMORE!

MMM...E' STRANO, MATUSALEMIX...CHE FACCIAMO?

UNA ZUPPA. CON I FUNGHI SI FA UNA ZUPPA. E' SQUISITA.

?

UNA ZUPPA?!...E' TUTTO QUEL CHE SAI DIRE, OBELIX?!..

CON I FUNGHI SI FA UN'OMELETTE. UN VERO BUONGUSTA-IO LI MANGIA IN OMELETTE.

2A

MA ABRARACOURCIX NOSTRO CAPO...

POCHE CIANCE! IL CAPO SONO APPUNTO IO! FAREMO UN'OMELETTE!

IO LI VEDREI PIUTTOSTO IN INSALATA...

TALVOLTA HO L'IMPRESSIONE CHE I NOSTRI AMICI SIANO POCO SERI......IL BUONUMORE DEI ROMANI PUO' ESSERE UN CATTIVO PRESAGIO PER NOI.

ALLORA CHE FACCIAMO, O DRUIDO?

BISOGNA FARLI SALTATI!

I FUNGHI SALTATI MANTENGONO TUTTO IL LORO SAPORE.

?.??

2B

MENTRE LE SOLITE BUCCINE CHIAMANO AL RANCIO I LEGIONARI DI AQUARIUM...

TARATARI!

BEN ALTRO SUONO ACCOMPAGNA IL RANCIO DEL LEGIONARIO CLAUDIUS CORNODURUS.

ECCO IL RANCIO. SPERO CHE SIA DI TUO GRADIMENTO.

NON E' MALE, O TULLIUS CAPARBIUS, MIO CENTURIONE; IL RANCIO MI SEMBRA NOTEVOLMENTE MIGLIORATO NELLA LEGIONE... ECCHE' SO' 'STE COSINE NNERE?

SONO UOVA DI STORIONE. VENGONO DALLA PERSIA A MIE SPESE.

SE RIUSCIRAI A CONQUISTARE LA PALMA AI GIOCHI OLIMPICI, CI SARANNO PERMESSI PER ANDARE AL CIRCO E AVANZAMENTI PER TUTTI.

IL PRESTIGIO SPORTIVO E' COSI' IMPORTANTE PER UNA NAZIONE, CHE, SE TU VINCI, IO POTREI ANCHE DIVENTARE PREFETTO DELLE GALLIE... NON ABBANDONARMI!

NON TEMERE, CI PENSO IO, CAPARBIUS.

34

E' FACILE, SO' ER MEJO... MO', VADO NER BOSCO AD ALLENARME.

CIO' CHE C'E' DI INCREDIBILE E' IL SUO MORALE. CON UN ENTUSIASMO COME IL SUO, NON PUO' PERDERE!

E MO' VIA A TUTTO SPRINT! SO' ER PIU' VELOCE DER MONNO!

INTANTO, UN PO' PIU' LONTANO...

MI SENTO IN OTTIMA FORMA PER ANDARE A CACCIA DI CINGHIALI. PANORAMIX MI HA DATO DA BERE LA BEVANDA MAGICA CHE RENDE INVINCIBILI!

MMM! IO NON NE HO AVUTA, CON LA SCUSA CHE...

HOP! HOP! HOP!

???

3B

NON BISOGNA VO-LERGLIENE AL MIO AMI-CO, ROMANO...

OBELIX! PER-CHE' L'HAI FATTO? NON CI DISTURBA-VA MICA QUESTO ROMANO.

MBE'? M'HA BUTTATO UN BA-STONE IN TESTA, E IO GLIENE HO BUTTATO UN ALTRO. COSI' SIAMO PARI!

NON FINIRA' COSI', PER JUPITER!

TU, PANCIONE, IN GUARDIA! TI SFIDO A LOTTA, A PUGILATO, A PAN-CRAZIO! IN QUESTO, IO SO' ER MEJO! IO SO...

IO NON SONO UN PANCIONE!

PAFFF!

5A

FRANCAMENTE, ASTERIX, E UNA VOLTA PER TUT-TE: TI SEMBRO PROPRIO UN PAN-CIONE IO?

MA NO, OBELIX, SEI UN PO' BAS-SO DI TORACE, ECCO TUTTO... ...INSOMMA, AN-DIAMO O NO A CACCIA DI CIN-GHIALI?

SONO UNO STRAZIO.

COME UNO STRAZIO?!?

CHI HA DETTO CHE SEI UNO STRAZIO?

SONO IO CHE DICO CHE SONO UNO STRA-ZIO. TUTTI SONO PIU' FORTI DI ME. SONO STATO BATTUTO DA TUTTI I GALLI CHE HO INCONTRATO: UN PICCOLETTO MINGHERLINO E UN CICCIONE BASSO DI TORACE! TUTTI!

I GALLI! PER JUPITER ERA DA UN PEZZO CHE NON AVEVAMO A CHE FARE CON LORO!

5B

TORNA NELLA TUA TENDA, CAMPIONE, E RIPOSATI.

IO NON SONO UN CAMPIONE; SONO UNO STRAZIO.

VOGLIO ESSER DI CORVE'; VADO A CERCARE UNA SCOPA...NON TROPPO PESANTE.

VOGLIO VEDERLI IO QUESTI GALLI!

COSÌ IL CENTURIONE CAPARBIUS ENTRA POMPOSAMENTE NEL PICCOLO VILLAGGIO GALLICO.

TO'! UN ROMANO!

VOGLIO VEDERE IL TUO CAPO!

MA...E' OCCUPATO!

6A

DIGLI CHE E' UNA COSA IMPORTANTE! E' UN APPROCCIO UFFICIALE!

VA BENE, VA BENE, NON INNERVOSIAMOCI! IL CIELO NON STA CADENDO SULLA TESTA DI NESSUNO!

OGNI VOLTA E' LA STESSA COSA! OGNI VOLTA CHE SONO IN BAGNO MI SI DISTURBA: L'ANNO SCORSO E QUELLO PRIMA, E...NON C'E' DUE SENZA TRE!

E POI, VISTO CHE SI TRATTA DI UNA VISITA UFFICIALE, OSSERVIAMO STRETTAMENTE IL PROTOCOLLO!

!!!

6B

TI ASCOLTO, O ROMANO!

BEN ECCOCI: UNO DEI MIEI UOMINI E' STATO DESIGNATO A RAPPRESENTARE LA MIA GUARNIGIONE AI GIOCHI OLIMPICI...

...E ALCUNI GALLI DELLA TUA TRIBÙ, SENZA RAGIONE ALCUNA, SI SON DIVERTITI A SCORAGGIARLO!

TUTTO CIO' CHE CHIEDO E' CHE SI LASCI IL MIO CAMPIONE ALLENARSI TRANQUILLO!

PRENDERO' IN CONSIDERAZIONE LA FACCENDA E TI FARO' SAPERE UNA RISPOSTA.

7A

SALVE!

AVE!

E' UNA COSA IMPORTANTE! BENIAMINA! I VESTITI! CONTINUERO' IL BAGNO L'ANNO PROSSIMO!... FATEMI SCENDERE VOI, E SENZA ROVESCIAR NIENTE!

POCO DOPO...

COSA SONO ESATTAMENTE I GIOCHI OLIMPICI?

I GIOCHI DELLO STADIO, I SACRI GIOCHI, POSTI SOTTO L'EGIDA DI ZEUS, SI SVOLGONO OGNI QUATTRO ANNI A OLIMPIA, IN GRECIA, PRESSO GLI ELLENI, NEL MESE DELLE ECATOMBI ✳.

✳ LUGLIO-AGOSTO.

QUESTI GIOCHI STABILISCONO UNA SACRA TREGUA E DURANO CINQUE GIORNI. GRANDE E' LA GLORIA PER IL VINCITORE E IL SUO POPOLO!

SAPETE COSA DOVREMMO FARE?

SI'!

LA ZUPPA DI FUNGHI!

?

7B

T'ASSICURO: NON TI DARANNO PIU' NOIA! PER CUI SII GENTILE: BUTTA VIA QUELLA SCOPA!

NO! SPAZZARE E' SOLO QUELLO CHE FA PER ME!

SUPPONIAMO! SUPPONIAMO CHE SIANO PIU' FORTI DI TE... MA E' PERCHE' HANNO UNA BEVANDA MAGICA CHE DONA LORO UNA FORZA SOVRUMANA! TUTTO QUA!

MA I TUOI AVVERSARI AI GIOCHI NON AVRANNO QUELLA BEVANDA! HI! HI! HI!

MA GUARDA! NON CI AVEVO PENSATO...

CENTURIONE! UN CAPO GALLICO DESIDERA VEDERTI!

OTTIMO! VOGLIO DAR PROVA DI BUONA VOLONTA'... MI ADEGUERO' ALLA LORO ETICHETTA! CIO' LI RENDERA' PIU' MALLEABILI! L'ELMO! DOV'E' L'ELMO?

POCO DOPO...

O GALLO! IL CENTURIONE T'ASPETTA DAVANTI ALLA SUA TENDA!

AVETE SENTITO, RAGAZZI? ANDIAMO!

8ᴬ

SALVE!

AVE!

HO MOLTO RIFLETTUTO SULLA TUA RICHIESTA...

SI', E ALLORA?

ABBIAMO DECISO DI PARTECIPARE ANCHE NOI AI GIOCHI OLIMPICI!

COSA?

PROPRIO COSI'! MANDEREMO UN CAMPIONE A OLIMPIA! VINCA IL MIGLIORE! ANDIAMO! SALVE!

GRIF! GRAF! GRIF! GRAF!

8ᴮ

NOI ROMANI? MA DA QUANDO?

DA QUANDO GIULIO HA CONQUISTATO LA GALLIA; HA SCRITTO ABBASTANZA COMMENTARI AL RIGUARDO!

IO ROMANO?

CERTO! ASTERIX HA RAGIONE: ANCHE NOI FACCIAMO PARTE DEL MONDO ROMANO!

ORGANIZZIAMO UN FESTINO PER L'OCCASIONE!... CONOSCO QUALCUNO CHE RIMARRÀ STUPITO!

NEL CAMPO DI AQUARIUM...

NON MI STUPIREBBE CHE I GALLI TRAMASSERO QUALCOSA...

...BISOGNA DIFFIDARE DI QUELLI...

PENSO CHE SIA MEGLIO FARE UNA CAPATINA INTORNO AL VILLAGGIO.

CONTINUA AD ALLENARTI ALLA LOTTA, CORNODURUS. TORNO SUBITO.

SOTTO A CHI TOCCA!

PAF!

ARRUOLATEVI, DICEVANO! TROVERETE UN'ATMOSFERA DI CORDIALE CAMERATISMO, DICEVANO...

POCO DOPO...

GUARDERÒ ATTRAVERSO QUELLA FESSURA...

SIAMO ROMANI!

VIVA NOI ROMANI!

SONO PAZZI QUESTI ROMANI.

ECCO. SI COMBATTONO I POPOLI, SI MASSACRANO, SI INVADONO, SI OCCUPANO, E POI, SENZA ALCUNA RAGIONE, TUTTO CIÒ SI RITORCE CONTRO DI NOI!

TOCCA AL PIÙ ANZIANO DEL VILLAGGIO ESSERE IL CAMPIONE!

NO! SARÒ IO A RAPPRESENTARE IL VILLAGGIO AI GIOCHI OLIMPICI.

BAH! ALLORA TANTO VALE MANDARE IDEFIX: È PIÙ FORTE DI TE.

PIÙ FORTE DI ME?!

SAI GRATTARTI L'ORECCHIO CON LA ZAMPA POSTERIORE, TU?

?!

CALMA! CALMA! IL COMITATO OLIMPICO HA SCELTO I CAMPIONI CHE CI RAPPRESENTERANNO!

ASTERIX, PERCHÉ È IL PIÙ INTELLIGENTE E PERCHÉ SENZA LA SUA SCOPERTA NON AVREMMO PARTECIPATO AI GIOCHI, E OBELIX, PERCHÉ IN LUI GLI EFFETTI DELLA BEVANDA MAGICA SONO PERMANENTI.

12A

PROPRIO COSÌ! CI SONO CADUTO DENTRO DA PICCOLO!

MA NO? DAVVERO? COSA MI DICI...

HO UNA SORPRESA PER TUTTI! ANDREMO TUTTI A OLIMPIA A FARE IL TIFO PER I NOSTRI CAMPIONI!

VIVA ABRARACOURCIX NOSTRO CAPO! VIVA ASTERIX! VIVA OBELIX!

?

IO RECLAMO! NON SONO D'ACCORDO! GUARDATE!

? ? ? ? ? ? ? ? ?

!!!

12B

IN ATTESA DEL GIORNO DELLA PARTENZA, IL MORALE DEI ROMANI E' COSTANTEMENTE IN RIBASSO...

...MENTRE PER I GALLI, AL CONTRARIO, VA TUTTO BENE. IL CAPO ABRARACOURCIX SI OCCUPA DEL VIAGGIO...

HO NOLEGGIATO UN BATTELLO; E' UN VERO AFFARE: CLASSE UNICA, GIOCHI IN COPERTA, SPORT ALL'ARIA APERTA E UN'ATMOSFERA INCANTEVOLE!

IL DRUIDO PANORAMIX SI OCCUPA DEI PROBLEMI TECNICI RIGUARDANTI GLI ATLETI.

UNA DIETA BEN STUDIATA E' MOLTO IMPORTANTE. IL CIBO CHE SI TROVA ALL'ESTERO PUO' NUOCERE ALLA BUONA FORMA DEI NOSTRI CAMPIONI...

...LA DIETA DEV'ESSERE BEN DOSATA.

CHE SIGNIFICA UNA DIETA BEN DOSATA, O DRUIDO?

QUESTO SIGNIFICA!

IL BARDO ASSURANCETOURIX SI PREOCCUPA DI DAR POMPA ALLA CERIMONIA.

HO COMPOSTO UNA MARCIA OLIMPICA!

!

NO! TU NON CANTERAI!!!

PAF!

? ?

BUM!

CHE GLI E' SUCCESSO?

CREDO CHE ABBIA FATTO CILECCA CON LA SUA MARCIA!

LA VIGILIA DELLA PARTENZA, GLI ATLETI PREPARANO I LORO BAGAGLI.

FINALMENTE GIUNGE IL GIORNO DELLA PARTENZA VERSO OLIMPIA, VERSO LA GLORIA OLIMPICA.

FORZA GALLIA! FORZA!

UAHUAH! UAH!

E' STRANO! TUTT'A UN TRATTO HO L'IMPRESSIONE CHE IN QUESTA STORIA MANCHINO GLI UOMINI!

BEH, NE APPROFITTEREMO PER PULIRE E METTERE UN PO' D'ORDINE, ASPETTANDO CHE TORNINO QUEI FANFARONI!

IMBARCHIAMOCI, SENZA DIMENTICARE I CINGHIALI!

ALLORA, CAPITANO? CORRE VELOCE IL VOSTRO BATTELLO?

QUESTO DIPENDE DA VOI...

ECCO I VOSTRI POSTI!

!?

DI CHE VI LAGNATE? CLASSE UNICA COME PROMESSO, E PER QUEL CHE RIGUARDA I GIOCHI IN COPERTA E GLI SPORT SARETE ACCONTENTATI!

TANTO PER COMINCIARE, VI CONSIGLIO DI REMARE: BISOGNA APPROFITTARE DELLA MAREA!

E L'ATMOSFERA?

AVETE RAGIONE. SOTTO CON LA MUSICA!

CLAC!

BONG!

BONG!

BONG!

15 A

E NON LAMENTATEVI. VOI USUFRUITE DELLA CLASSE UNICA DI LUSSO. NEI NORMALI VIAGGI ORGANIZZATI, I PASSEGGERI SONO INCATENATI E FUSTIGATI. INOLTRE LE PRENOTAZIONI SONO NUMEROSE; TUTTI VOGLIONO ASSISTERE AI GIOCHI OLIMPICI.

LA GALERA PARTE VERSO LA SUA META: LA GRECIA LONTANA E GLORIOSA, NELL'IDILLIACA ATMOSFERA DELLE CROCIERE, DURANTE LE QUALI CIASCUNO DIMENTICA I PROPRI AFFANNI!

BOM! BOM! BOM! BOM! BOM! BOM! B

NON C'E' NIENTE DI PIU' RIPOSANTE CHE UN VIAGGIO PER MARE, VERO ASTERIX?

CERTO, SONO GLI SCALI LE TAPPE PIU' FATICOSE!

TALVOLTA, UN INCONTRO, UN INCIDENTE, TURBA PIACEVOLMENTE IL RITMO DELLA TRAVERSATA.

UNA GALERA PIRATA!

DOVE?

GALEVA A DVITTA!

QUANTI GALLI CI SONO A BORDO DI QUELLA GALERA? UNO O DUE?

E' STVAPIENA DI UNA CATEVVA DI TEVVIBILI GUEVVIEVI GALLI!

MANTENIAMO LA CALMA. TUTTI AI POSTI D'ABBANDONO. SI SALVI CHI PUO'! AFFONDATE LA NAVE.

SONO NOSTRI, VERO ASTERIX?

UAH!

NON SPINGETE!

DATE LA PRECEDENZA AGLI ANZIANI!

UN MOMENTO!

16A

L'ABBORDAGGIO DI UNA NAVE PIRATA NON E' COMPRESO NEL PREZZO DELL'ATTRAVERSATA! BISOGNA PAGARE UN SUPPLEMENTO!

?

?

COME UN SUPPLEMENTO?!

L'ABBORDAGGIO E' FACOLTATIVO, NATURALMENTE...

ISCRIVETEVI DAL SEGRETARIO DI BORDO. DUE SESTERZ!

FAREMO RECLAMO ALLA COMPAGNIA! E' UNA VERGOGNA. POTETE TENERVELI I VOSTRI PIRATI!

MBEH? E NOI ALLORA?... E PER DI PIU' CI PRENDONO IN GIRO!

TIVIAMO A SOVTE, VAGAZZI!

TANTO TU IL POSTO CE L'HAI!

BOM! BOM! BOM! BOM! BOM! BOM! BOM!

16B

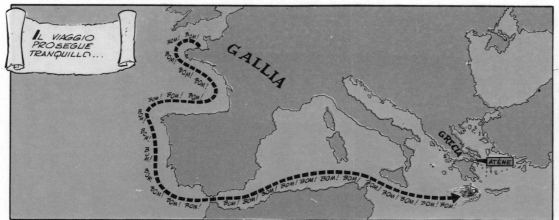

IL VIAGGIO PROSEGUE TRANQUILLO...

GALLIA

GRECIA

ATÉNE

BOM! BOM! BOM! BOM! BOM! BOM! BOM! BOM! BOM! BOM! BOM! BOM! BOM! BOM! BOM! BOM! BOM! BOM!

...INFINE UN GIORNO...

RAGAZZI! DO- MANI ARRIVERE- MO! IL PIREO CI ATTENDE!

STRANO! AVREI PENSATO CHE QUALCUNO MI AVREBBE FATTO UNA DOMANDA!...

PANORAMIX...

SI'?

CHI E' IL PIREO?

AH, MI PAREVA!

IL PIREO, TUTTI LO SANNO AL GIORNO D'OGGI, E' IL PORTO DI ATENE. LA VIGILIA DELL'ARRIVO, COM'E' TRADIZIONE, A BOR- DO DELLA GALERA SI TIENE UNA FESTA D'ADDIO!

A LUTEZIA NON E' MALE NINI' PELLE DI CINGHIALE!

BONG!

BONG!

E FINAL— MENTE...

BENE, RAGAZZI! POICHE' NOI RAPPRE- SENTIAMO LA GALLIA, SIAMONE DEGNI. NON FACCIAMOCI NOTARE E NON BURLIAMOCI DEGLI INDIGENI, ANCHE SE NON HANNO IL NOSTRO GLO- RIOSO PASSATO E LA NOSTRA CULTURA!

SBARCHIA- MO! E NON DI- MENTICATE I CINGHIALI!

EHI, ASTERIX!

SI'?!

HAI NOTA- TO IL LORO PROFILO?

SSSST! OBELIX! PO- TRESTI OFFEN- DERLI!

SONO MISOMA- TOS, UNA GUIDA. POSSO CONDURVI AD ATENE E FARVI VISITARE LA CITTA'.

18A

ABBIAMO UN PO' DI TEMPO PRIMA DI ANDARE A OLIM- PIA... SAREBBE UN PECCATO NON VISITARE ATENE...

CI ANDIAMO RAGAZZI?

FORZA!

POTETE CAMBIARE I VOSTRI SESTERZI IN OBOLI, DRACME E MINE DA COMPUTISTAS. FIDATEVI! E' MIO CUGINO!

?

POTETE FIDARVI ANCHE DEL CONDUCENTE DEL CARRO. E' STERZOS MIO CUGINO.

UN MOMEN- TO! MANCA QUALCUNO.

HI! HI! HI!

MATUSALEMIX!

SI', SI'! LA PIU' GRAN- DE SCOCCIATURA NEI VIAGGI ORGANIZZA- TI E' CHE NON SI PUO' MAI FARE CIO' CHE SI VUOLE!

18B

NELLA MODESTA CAMERA D'UN ALBERGHETTO ATENIESE...

PER JUPITER! SMETTILA D'ARMEGGIARE, CORNODURUS!

PRIMA DI RAGGIUNGERE GLI ALTRI ATLETI ROMANI A OLIMPIA, HO DECISO CHE CI FAREMO QUALCHE GIORNO QUI, AD ATENE, PERCHÉ TI PASSI IL NERVOSISMO...

PARTHENON

HAI RAGIONE! CERCHERÒ DI CALMARMI.

MA CERTO! NON PENSARE PIÙ A QUEI GALLI!

EVVIVA! CI SIAMO, RAGAZZI!

TO'! COS'È 'STO BACCANO?

VADO A VEDERE!

EQUINE ROMAN

CHE SUCCEDE?

NON PREOCCUPARTI! MA SCOPA BENE, SOPRATTUTTO GLI ANGOLI!

VI TROVERETE MOLTO BENE QUI, PER ZEUS, MA L'ALBERGO È PIENO. DOVRÒ METTERVI IN MOLTI PER CAMERA.

E I CINGHIALI?

NATURALMENTE POTETE PORTARLI CON VOI. ACCOGLIAMO ANCHE LE BESTIOLINE IN ALBERGO!

GROUIIK!

TRANNE I CINGHIALI, CHE SONO ANIMALI MOLTO DELICATI, TUTTI SONO SODDISFATTI DELL'ALLOGGIO

VI AVVISO: IO DORMO CON LA FINESTRA CHIUSA!

GROUIK!

VENITE, RAGAZZI! LA GUIDA MIXOMATOS CI FA VISITARE L'ACROPOLI.

E POCO DOPO TUTTI I NOSTRI AMICI SI RITROVANO SULLA ROCCA SACRA, SULL'ACROPOLI, DOVE POSSONO AMMIRARE I PROPILEI, IL TEMPIO DI ATENA NIKE, IL PARTENONE, MERAVIGLIE DELLE MERAVIGLIE!

MI RICORDA BURDIGALA...

AH NO! CONOSCO UN POSTO A MASSILIA...

NON CI SONO DEI DOLMEN QUI?

CHE CI FAI TU QUI?

NATURALMENTE, A CHI PIACCIONO LE COLONNE NON E' POI MALE!

GROUIK!

AMMIRATE! AMMIRATE, AMICI MIEI!

MOLTO GRAZIOSA!

FERMO LA'! NON MUOVERTI!

EBBENE! CHE NE PENSATE?

FORMIDABILE!

SI' PER DEGLI STRANIERI E' ECCEZIONALE!

ATH

A PROPOSITO DI STRANIERI, TO', DEI COMPATRIOTI!

!

21

¡O NON SONO UN VOSTRO COMPATRIOTA! SE DIPENDESSE DA ME, VI RENDEREI LA GALLIA, E CIASCUNO STAREBBE A CASA SUA!

PER TOUTATIS! IL MIO SPIRITO DI ROMANO SI INDIGNA QUANDO VI SENTO PARLARE COSI'!

SCHERZI A PARTE! STATE ANDANDO ALLE OLIMPIADI?

CON LA BEVANDA MAGICA CHE CI DARA' LA VITTORIA, DOVETE RICONOSCERE CHE SAREBBE DA STUPIDI NON ANDARCI!

MA NON E' GIUSTO! E NOI ALLORA?

NON VI IMPEDIAMO DI PARTECIPARE... VE L'HO DETTO: NOI ANDIAMO A VINCERE...

22A

...QUESTO E' L'ESSENZIALE!

VI PORTO A MANGIARE NEL RISTORANTE DI MIO CUGINO FRILANDOS.

NON HO DEPOSITATO L'ANFORA, CHE NE FACCIO?

BOH! CONSERVALA, SARA' UN SOUVENIR!

GRUIK!

COSI' I NOSTRI AMICI VENGONO INIZIATI ALLE GIOIE DELLE FOGLIE DI VITE FARCITE, DEGLI SPIEDINI, DELLE OLIVE, DEI COCOMERI E DEL VINO RESINATO.

NE AVEVO UNO, MA L'HO DOVUTO LASCIARE ALL'ENTRATA. SEMBRA CHE NON CI SI POSSA PORTARE IL PROPRIO CIBO!

MA COSA METTONO NEL LORO VINO?

AH, IL VINO D'AQUITANIA!

TI RICORDI QUELL'ALBERGHETTO SULLA NAZIONALE VII? CI AVEVANO SERVITO DEL VITELLO DELIZIOSO!

TUTTO CIO' NON VALE UN CINGHIALE!

GRUIK!

22B

PER LA NOSTRA ULTIMA NOTTE AD ATENE, MIXOMATOS MI HA DATO L'INDIRIZZO DELL'ALBERGO DI UNO DEI SUOI CUGINI...

SEMBRA CHE SI STIA-NO DIVERTEN-DO LA' DENTRO!

A LORO PIA-CE BALLARE... ...PARE CHE LE DANZE DEI GRECI SIANO MOLTO INTERESSANTI!

INVINOVERITAS

YAHOUU! YAHAAA!

?

CLAP! CLAP!

CLAP! CLAP! CLAP! CLAP!

CLAC! CLAC! CLAC!

CLAP!

CLAP! CLAP!

VENITE, FIGLIOLI! STO DANDO LORO UNA DIMOSTRAZIONE DI DANZA GALLICA!

POC!

23A

MANO A MANO CHE LA NOTTE AVANZA, VENGONO INIZIATI ANCHE ALLE DANZE GRECHE...

LALA... LALA... LALA... LALA... LALA... LALA... LALA...

POC! POC!

INFINE...

ANDIAMO, MATUSALE-MIX! FRA POCO E' L'ALBA!

UN ULTIMO CORNO!

HIP!

SONO RIN-GIOVANITO DI DIECI ANNI!...

HIP!

VA BENE, COSI' HAI OTTAN-TATRE' ANNI E DOVRESTI ES-SERE A LET-TO!

VIVA I GRECI!

CHE SUCCEDE?

VADO A VEDERE!

SONO I NOSTRI AVVERSARI CHE SI ALLENA-NO!

23B

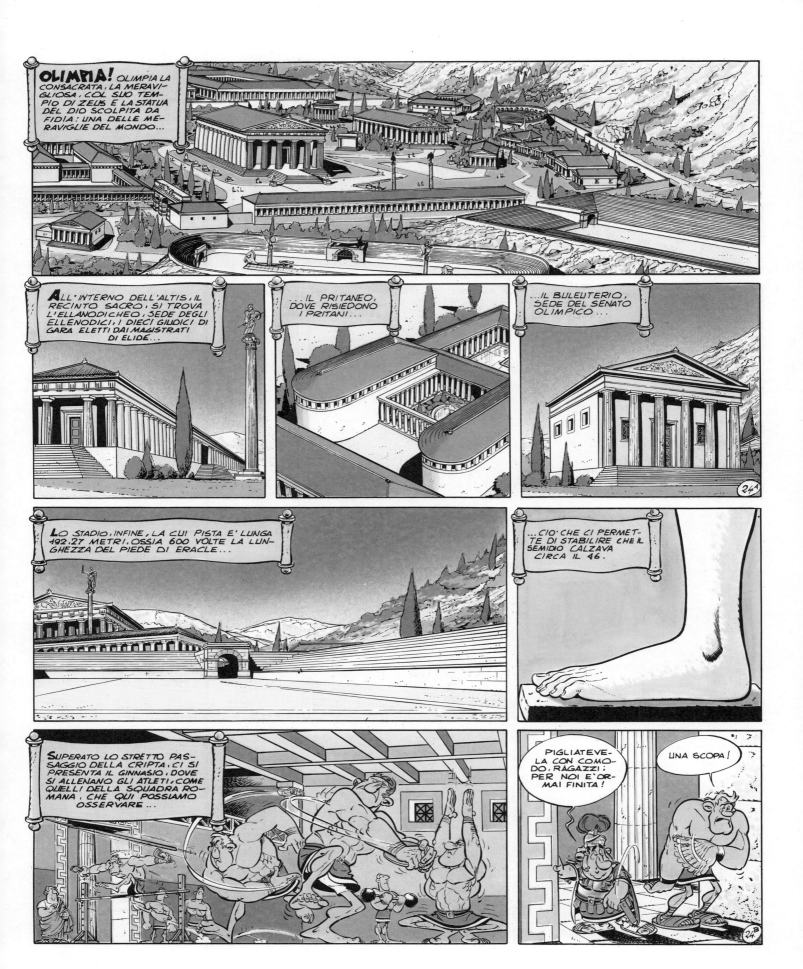

OLIMPIA! OLIMPIA LA CONSACRATA, LA MERAVIGLIOSA, COL SUO TEMPIO DI ZEUS E LA STATUA DEL DIO SCOLPITA DA FIDIA: UNA DELLE MERAVIGLIE DEL MONDO...

ALL'INTERNO DELL'ALTIS, IL RECINTO SACRO, SI TROVA L'ELLANODICHEO, SEDE DEGLI ELLENODICI, I DIECI GIUDICI DI GARA ELETTI DAI MAGISTRATI DI ELIDE...

...IL PRITANEO, DOVE RISIEDONO I PRITANI...

...IL BULEUTERIO, SEDE DEL SENATO OLIMPICO...

LO STADIO, INFINE, LA CUI PISTA E' LUNGA 192.27 METRI, OSSIA 600 VOLTE LA LUNGHEZZA DEL PIEDE DI ERACLE...

...CIO' CHE CI PERMETTE DI STABILIRE CHE IL SEMIDIO CALZAVA CIRCA IL 46.

SUPERATO LO STRETTO PASSAGGIO DELLA CRIPTA, CI SI PRESENTA IL GINNASIO, DOVE SI ALLENANO GLI ATLETI, COME QUELLI DELLA SQUADRA ROMANA, CHE QUI POSSIAMO OSSERVARE...

PIGLIATEVELA CON COMODO, RAGAZZI; PER NOI E' ORMAI FINITA!

UNA SCOPA!

PER JUPITER, COME OSI PAR- LARE IN QUESTO MODO, O CEN- TURIONE?

C'E' QUI IL FIOR FIORE DELLE LE- GIONI ROMANE. SONO ATLETI SE- LEZIONATI IN TUTTE LE GUARNI- GIONI DEL MONDO ROMANO. NESSUNO PUO' BATTERCI!

NESSUNO? DIGLIELO CORNODU- RUS!

EBBENE, C'E' UN PICCOLETTO MIN- GHERLINO E UN CIC- CIONE BASSO DI TORACE... DEI GALLI...

GALLI RIMPINZATI DI BEVANDA MA- GICA! AS-SO- LU-TA-MEN- TE INVINCI- BILI!

!?

CESARE NON SARA' CONTENTO SE NON RIPORTIA- MO ALMENO UNA O DUE PALME!

EH, NO! NON SARA' PER NIENTE CONTENTO!

IN QUEL MO- MENTO, ALL'UFFI- CIO ISCRIZIONI...

E QUESTA COS'E', PER ERMES?

SIAMO ROMANI; VENIA- MO A ISCRI- VERCI AI GIOCHI!

ROMANI?

E... E VOI SARESTE TUT- TI ATLETI?

OH, NO! GLI ATLETI SONO QUEI DUE... ...QUEL PICCO- LETTO E QUEL BUONTEMPONE CICCIOTELLO.

AH, LA DECADEN- ZA DI ROMA!

OHOOO!

BEH...BENE! GLI ATLETI E I LORO ALLENATORI POSSONO ENTRARE NEL VILLAGGIO OLIMPICO CON BAGAGLI E VETTOVAGLIE.

SON VETTOVAGLIE QUELLE?

NO, E' IL BAGAGLIO!

FORZA RAGAZZI!!

SIAMO CON VOI!

VIVA LA GALLIA!

SALVE ROMANI!

ECCOLI! ECCOLI!

UN MOMENTO! FATEMI PASSARE!

SONO IL LEGIONARIO CALZATURUS E SONO ISCRITTO PER TUTTE LE GARE DI LOTTA...

26A

SEMBRA CHE TU SIA MOLTO FORTE, GALLO! IO NON CI CREDO! DIMOSTRAMELO, SE SEI CAPACE, PER MINERVA!

CHE ASPETTI?

GLU! GLU!

ECCOMI!

CRAC!

POSSO DARE UNA DIMOSTRAZIONE ANCH'IO ASTERIX?

NON LO SO, CHIEDIGLIELO!

BUM!

CLING!

26B

NN...NON SARA' MOLTO CONTENTO CE...CESARE! MMM?

ASTERIX, NON VUOLE RISPONDERMI!

MENTRE GLI ATLETI GRECI S'ALLENANO CON ENERGIA, SOTTO L'OCCHIO VIGILE DEGLI ALIPTI, LORO ALLENATORI...

...I GALLI FANNO LA SIESTA FRA UN PASTO E L'ALTRO...

...E I ROMANI, CON LA SPERANZA, HAN DEPOSTO OGNI FATICA.

E SE AMARO È IL DESTINO UN BICCHIERE DI VINO...

LA QUAL DECADENZA NON MANCA DI SCONCERTARE I MAGISTRATI OLIMPICI.

FA TUTTO... SCORDAR

PER POSEIDONE! CHE STRANO MODO DI ALLENARSI!

PER EFESTO! I NOSTRI ATLETI AVRANNO FACILMENTE LA VITTORIA SU QUEI BARBARI... ...TROPPO FACILMENTE!

?!

?!

GUARDA! FANNO ORGE!

MENTRE I NOSTRI VIRTUOSI CAMPIONI SI NUTRONO DI FICHI, OLIVE...

...CARNE CRUDA E ACQUA!

...MA QUELLA STRANA ATMOSFERA...

SNIFF! SNIFF!

...FINISCE COL PROVOCARE DEGLI SPIACEVOLI INCIDENTI AL VILLAGGIO OLIMPICO.

MI RIFIUTO DI MANGIARE QUESTA ROBA!

COME? TI RIFIUTI DI MANGIARE?

È ROBACCIA!

ROBACCIA DICI? E SEI DI SPARTA? GLI SPARTANI SONO ABITUATI ALLA VITA DURA!

PUÒ ANCHE DARSI CHE A SPARTA NOI MANGIAMO SOLO NOCCIOLI DI OLIVE E GRASSO ANIMALE...

MA A SPARTA NOI NON ABBIAMO PER VICINI DEI SELVAGGI CHE SI INGOZZANO TUTTO IL GIORNO DI PIETANZE SUCCULENTE!!!

MA SONO DECADENTI!

E, PER ARTEMIDE, SE AVESSI VOGLIA ANCH'IO DI DECADERE?

SÌ, VOGLIAMO DECADERE

DECADIAMO! DECADIAMO!

SE VOLETE SALVI I GIOCHI DATECI PANE!

SPIEDINI!

VINO!

FORNITECI UN BUE DI BURDIGALA!

È LA VOSTRA ULTIMA PAROLA?

VUOI PROPRIO SENTIRLA L'ULTIMA PAROLA?

PER ZEUS! BISOGNA AVVERTIRE LE AUTORITÀ!

POCO DOPO...

A CAUSA DI QUEI ROMANI DECADENTI, I NOSTRI GIOCHI SONO SULL'ORLO DEL RIDICOLO!

NELLO STADIO VEDREMO SOLO QUALCHE ATLETA PANCIUTO E AVVINAZZATO!

PROPONGO DI MANDARE ALIAS DAI BARBARI A TRATTARE!

È QUI CHE SI ALLENANO I ROMANI...

SONO ALIAS, MAGISTRATO OLIMPICO...

TO'! ABBIAMO VISITE! CORICATEVI A TAVOLA, VECCHIO MIO; DOVE CE N'È PER TRENTA...

NON VI VERGOGNATE, ROMANI? CHE DIREBBE GIULIO CESARE, SE VI VEDESSE?

NON SAREBBE MOLTO CONTENTO, VERO?

VOI FORSE CREDETE CHE IL VINO VI ACCRESCA LE FORZE...

HIHIHIHIHIHIHIHI!

29A

MA NON DIMENTICATE LE LEGGI DEI GIOCHI OLIMPICI: È PROIBITO BERE QUALSIASI BEVANDA CHE CONTENGA DELLE DROGHE, PENA LA SQUALIFICA.

QUESTA È BUONA PROPRIO!

PFFCHCH!

PER JUPITER! EHI, LAGGIÙ ASPETTATEMI!

?

POCO DOPO...

ECCOLI!

?

29B

SONO LORO!

È VERO CHE POSSEDETE UNA BEVANDA MAGICA E CHE INTENDETE USARLA NELLE COMPETIZIONI?

CERTO!

È ASSOLUTAMENTE PROIBITO!

ASSOLUTAMENTE?

AS-SO-LU-TA-MEN-TE!

ASSOLUTAMENTE!

30ª

DATE LE CIRCOSTANZE, CHIEDO L'AUTORIZZAZIONE A USCIRE DALLE SACRE MURA PER CONSULTARMI CON I NOSTRI AMICI.

RICHIESTA ACCOLTA!

IHIHIH! VADO A DARE LA BUONA NOTIZIA AGLI ALTRI!

TUTTI IN PIEDI! AT-TENTI! AL LAVORO! SIETE UN BRANCO DI BARBARI!!! CORNODURUS ALLE MIE CALIGHE! SCATTARE!

MA SIAMO SOLO ALL'OTTAVA PORTATA...

VUOI VEDERE COSA NE FACCIO DEL TUO PIATTO?

AH, I DISCOBOLI HANNO FINALMENTE RIPRESO L'ALLENAMENTO!

30ᵇ

AH, ECCO I NOSTRI POSTI!

BENE! ALLORA SIAMO D'ACCORDO: CALMA, DISTINZIONE, RISPETTO DELL'AVVERSARIO. COMPORTIAMOCI DA SPETTATORI SPORTIVI E NON FACCIAMOCI NOTARE.

VA BENE, VEDREMO!

FORZA GALLIA

DOPO AVER PRESTATO IL GIURAMENTO SULL'ALTARE DI ZEUS ERCEO...

SIAMO UOMINI LIBERI, DI PURA RAZZA ELLENICA, E NON ABBIAMO COMMESSO NESSUN CRIMINE O SACRILEGIO. GIURIAMO DI PRESENTARCI AI GIOCHI OLIMPICI QUALI CONCORRENTI LEALI, RISPETTOSI DEI REGOLAMENTI.

...GLI ATLETI ENTRANO NELLO STADIO. ECCO IL PASSAGGIO DELLE TERMOPOLI, SEGUITI DALLA SQUADRA DI SAMOTRACIA, SICURA DELLA VITTORIA; FANNO SEGUITO I VENER...ABILI DI MILO...

TERMOPILI

...POI "SBARCANO" QUELLI DI CITARA; I MARATONESI ENTRANO CORRENDO; I MACEDONI IN DISORDINE; GLI SPARTANI A PIEDI NUDI...

SPARTA

...RODI HA MANDATO UN SOLO RAPPRESENTANTE, IL COLOSSO...

RODI

IUHIUH! FRATELLINO! IUHIUH!

CALMA! PRENDIAMOLA SPORTIVAMENTE!

...E SE LA SQUADRA ROMANA SFILA NELLA GENERALE INDIFFERENZA, QUESTO NON E' PROPRIO IL CASO SPECIFICO DI UNO DEI SUOI RAPPRESENTANTI.

GALLIA! GALLIA! GALLIA! A-STE-RIX! A-STE-RIX! FORZAAA URRA'

GALLIA

MENTRE I VINCITORI SALGONO SUL PODIO PER RICEVERE LE PALME...

FERMI PER FAVORE!

...I TIFOSI COMMENTANO LA GARA!

LA PISTA È PESANTE!

IL CLIMA POI... È INSOPPORTABILE!

ANCHE L'ALTITUDINE.

I PIATTI DI CINGHIALE! POVERE BESTIE, NON SONO ABITUATE...

E L'ATTEGGIAMENTO DEL PUBBLICO!... UNA VOLTA SÌ CHE ERANO VERI SPORTIVI!

LE GARE SI SUCCEDONO: LOTTA, PANCRAZIO, PUGILATO COI CESTI...

CRAC

IN QUEI GIOCHI, OKEIBOS, IL COLOSSO DI RODI È IMBATTIBILE.

AHA! AHA! AHA!

BRAVO FRATELLINO!

AHA! AHA! AHA!

CLAP! CLAP!

SIETE TUTTI COSÌ IN FAMIGLIA?

OH, NO! NOSTRO FRATELLO MAGGIORE È MOLTO PIÙ FORTE.

NON È POTUTO VENIRE PERCHÉ STA MALE PER LA SCULACCIATA CHE GLI HA DATO LA MAMMA, AHA, AHA, AHA!

LO SPORT È SALUTE, DICONO!

MENS SANA IN CORPORE SANO, DICONO!...

AL TERMINE DELLA GIORNATA, GLI ATLETI TORNANO NEL RECINTO SACRO, E TIRANO LE SOMME...

VISTI I BRILLANTI RISULTATI OTTENUTI, PENSATE CHE GIULIO CESARE RESTERA' CONTENTO?

NEL BULEUTERIO, IL SENATO OLIMPICO, I MAGISTRATI, GLI ALLENATORI, I SACERDOTI E LE AUTORITA' SONO RIUNITI SOTTO LA PRESIDENZA DI SPAURACCHIOS, SUPERBO ORATORE...

NOBILI E VENERABILI AMICI! I NOSTRI ATLETI VINCERANNO CERTAMENTE TUTTE LE PALME, COM'E' LOGICO!

SI!

PER ATENA!

PER APOLLO!

VIVA NOI!

MA SE NON DAREMO A QUEI BARBARI DI ROMANI IL MODO DI VINCERE ALMENO UNA PALMA, I NOSTRI GIOCHI NON INTERESSERANNO PIU' ALCUN TURISTA STRANIERO...

E COME DICE MIO CUGINO MIXOMATOS: "PIU' TURISTI, PIU' SOLDI, PIU' AFFARI"! I NOSTRI BEI MONUMENTI CADRANNO IN ROVINA SENZA PIU' INTERESSARE NESSUNO!

MA NON POSSIAMO CHIEDERE AI NOSTRI ATLETI DI BARARE PER FAR VINCERE QUEI DECADENTI.

EUREKA! CREDO DI AVER TROVATO LA SOLUZIONE!

TUTTI I ROMANI SONO CONVOCATI AL GINNASIO!

QUESTO VALE ANCHE PER NOI!

NON MI ABITUERO' MAI!

ROMANI! IL SENATO OLIMPICO HA DECISO DI FARE UNA GARA SUPPLEMENTARE DOMANI! UNA CORSA DI XXIV STADI RISERVATI SOLTANTO AI ROMANI.

VI AUGURO BUONA FORTUNA E VINCA IL MENO PEGGIO!

CHE PECCATO CHE TU NON POSSA BERE UN PO' DI BEVANDA MAGICA PRIMA DELLA CORSA!

LA BEVANDA MAGICA? QUELLA CHE SI TROVA NELLA MARMITTA IN QUELLA CAPANNA LAGGIU' IN FONDO?

MA SI'... LA BEVANDA MAGICA...

LA MARMITTA CHE E' IN QUELLA CAPANNA LAGGIU' QUELLA CHE HA LA PORTA CHE NON SI CHIUDE BENE?

38ª

SI', LA MARMITTA CHE STA NELLA CAPANNA LAGGIU' IN FONDO, QUELLA CON LA PORTA DIFETTOSA E CHE DI NOTTE NON E' NEPPURE SORVEGLIATA... ..E' QUESTO CHE INTENDI DIRE, OBELIX?

MA... SI'!

OH, MA NON SI PUO' BERE LA BEVANDA MAGICA CHE STA NELLA CAPANNA LAGGIU'!..

..LA CUI PORTA NON SI CHIUDE BENE E NON E' SORVEGLIATA DI NOTTE!

?!

OHOHO! ¡HIHIH!

MA CHE STA SUCCEDENDO?

OBELIX! SEI IL PIU' FURBACCHIONE DI TUTTI!

?

SAI UNA COSA, IDEFIX? DA QUANDO ASTERIX E PANORAMIX SONO DIVENTATI ROMANI, SONO PAZZI ANCHE LORO!

TOC! TOC! TOC!

UAH!

CORNODURUS, SCUSA UN ATTIMO...

L'ESSENZIALE PER IL NOSTRO AVANZAMENTO E' CHE GIULIO CESARE SIA CONTENTO; E PERCHE' GIULIO CESARE SIA CONTENTO OCCORRE CHE TU VINCA LA CORSA E LA PALMA...

...ORA CREDO DI SAPERE CHE LAGGIU' IN FONDO C'E' UNA CAPANNA CON LA PORTA DIFETTOSA, CHE NON E' SORVEGLIATA DI NOTTE E CON DENTRO...

UNA MARMITTA DI BEVANDA MAGICA!

SSSST!

PAF!

BENE... ...EHM.. AVE RAGAZZI!

CAPARBIUS, AMICO MIO!

QUO VADIS, CAPARBIUS? STA SCENDENDO LA NOTTE E DOBBIAMO ANDARE A LETTO PRESTO, PERCHE' DOMANI C'E' LA CORSA...

OH, FAREMO SOLTANTO UN GIRETTO...

GIULIO CESARE NON SAREBBE CONTENTO DI SAPERE CHE NOI, ROMANI, NON SIAMO SOLIDALI TRA NOI...

NON E' VERO?

QUELLA NOTTE...

RONONN BZZZ BLBLBL ?

GRRRAAOORR

PRONTI? SI'! IH!IH!IH! ALLORA, SI PARTE, PER JUPITER?

PAN! SONO PARTITI!

NELLE TRIBUNE L'ENTUSIASMO...

FORZA GALLIA! A-STE-RIX! A-STE-RIX! FORZA PICCOLO!

SE SAPESSERO!...MA NESSUNO MI VUOLE ASCOLTARE!

..E'INDESCRIVIBILE!

AHA, AHA, AHA!

MA LA CORSA PRENDE BEN PRESTO UNA STRANA ANDATURA...

FORSE E' PESANTE QUESTA PISTA!

ASTERIX DEVE AVER MANGIATO UN CINGHIALE CHE DEVE AVER MANGIATO QUALCOSA...

IL MONDO E' PROPRIO FATTO A ROVESCIO!

E, COSA INAUDITA, UN CONCORRENTE STA PER ESSERE DOPPIATO DA TUTTI GLI ALTRI!

VRAOUMM

..ED ECCO L'ARRIVO! GNGNGNGN!

PER APOLLO! FORSE HANNO L'ABITUDINE DI ANDARE IN PERFETTO ALLINEAMENTO.

PER ARTEMIDE! COME FAREMO A FARLI STARE TUTTI SUL PODIO?

SARA' CONTENTO CESARE, VERO?

UN MOMENTO DEVO FARE UN RECLAMO!

UN RECLAMO?

SI LA PISTA ERA PESANTE! E I CINGHIALI HANNO MANGIATO DELLE PORCHERIE!

43A

ACCUSO TUTTI I PRIMI D'ESSERSI RIMPINZATI DI BEVANDA MAGICA!

E' UNA ACCUSA GRAVE! HAI LE PROVE?

QUID?

QUOMODO?

E' UNA INFAMIA!

MI RIFIUTO DI SOTTOMETTERMI A...

IMBROGLIONI! BAAAAAAH!

BAAAAAH ANCHE A TE!

VISTO? HO MESSO UN COLORANTE NELLA MARMITTA DELLA BEVANDA MAGICA... TUTTI QUELLI CHE L'HANNO BEVUTA HANNO LA LINGUA BLU!

PER ERMES È VERO!